Allez ouste, l'orignal!

Allez ouste, l'orignal!

Robert Munsch

Illustrations de
Michael Martchenko

Texte français de
Christiane Duchesne

Éditions
SCHOLASTIC

Les illustrations de ce livre ont été réalisées à
l'aquarelle sur du carton à dessin Crescent.
Le texte a été composé en caractères ITC Usherwood 18 points.

Catalogage avant publication de Bibliothèque et Archives Canada
Munsch, Robert N., 1945-
[Moose! Français]
Allez ouste, l'orignal! / Robert Munsch ; illustrations de Michael
Martchenko ; texte français de Christiane Duchesne.

Traduction de: Moose!
ISBN 978-1-4431-0719-8

I. Martchenko, Michael II. Duchesne, Christiane, 1949- III. Titre.
IV. Titre : Moose! Français.

PS8576.U575M5714 2011 jC813'.54 C2010-906030-X

Édition publiée par les Éditions Scholastic, 604, rue King Ouest,
Toronto (Ontario) M5V 1E1 CANADA.

11 10 9 8 7 Imprimé en Malaisie 108 20 21 22 23 24

À Luke Van Zutphen,
de l'île du Cap-Breton.
—R.M.

Un samedi matin, Luke s'éveille de très bonne heure. Il s'habille, avale un bol de céréales et sort dans le jardin. Là, juste à côté de sa cabane, se tient un énorme ORIGNAL.

Luke le regarde et s'écrie :

— UN ORIGNAAAAAAL!

Il fait trois fois le tour du jardin en courant et rentre à la maison réveiller son papa.

Son papa dort profondément :

ZZZZZ, ZZZZZ, ZZZZZ, ZZZZZ.

Il est resté devant son ordinateur jusqu'à trois heures du matin.

— Papa... appelle doucement Luke.

Il ne s'éveille pas.

— PAPA! fait Luke un peu plus fort.

Il ne s'éveille pas plus.

— PAPAAAAAAAAA! crie Luke du plus fort qu'il peut.

Il ne s'éveille toujours pas. Luke empoigne un oreiller et lui tape sur la tête.

Son papa bondit hors du lit en criant :

— Qu'est-ce qui se passe? Qu'est-ce qui se passe? Qu'est-ce qui se passe?

— Devant ma cabane, dit Luke, il y a un gros, un énorme orignal.

— C'est ridicule! dit son papa. Il n'y a pas d'orignal devant ta cabane. Les orignaux ne s'approchent pas de la ferme.

Il décide tout de même d'aller jeter un coup d'œil. Il s'habille, ouvre la porte du jardin, sort, se frotte les yeux, les ouvre enfin et hurle :

— UN ORIGNAAAAAAL!

Effrayé, le pauvre orignal bondit dans les airs et retombe en plein sur le papa de Luke.

— Papa? dit Luke.

Luke décide d'aller chercher sa maman.

Sa maman dort profondément :

ZZZZZ, ZZZZZ, ZZZZZ, ZZZZZ.

Elle a regardé la télévision jusqu'à trois heures du matin.

— Maman... appelle doucement Luke.

Elle ne s'éveille pas.

— MAMAN! fait Luke un peu plus fort.

Elle ne s'éveille pas plus.

— MAMAAAAAAAAAAAN! crie Luke du plus fort qu'il peut.

Elle ne s'éveille toujours pas. Luke retire son chapeau et lui tape sur la tête.

Elle bondit hors du lit en criant :

— Qu'est-ce qui se passe? Qu'est-ce qui se passe? Qu'est-ce qui se passe?

— Devant ma cabane, dit Luke, il y a un gros, un énorme orignal.

— Voyons donc! dit sa maman. Il n’y a pas d’orignal dans notre jardin. Les orignaux ne s’approchent pas de la ferme.

Elle décide quand même d’aller jeter un coup d’œil. Elle s’habille, ouvre la porte du jardin,

sort, se frotte les yeux, les ouvre enfin et hurle :

— UN ORIGNAAAAAAL!

Effrayé, le pauvre orignal bondit dans les airs et retombe en plein sur la maman de Luke.

— COUAAAAAAK! fait la maman de Luke.

— Maman? dit Luke.

Luke voudrait bien sortir sa maman de là. Il s'assied, réfléchit un instant et, tout à coup, une idée lui vient.

Il court à la cuisine, ouvre la porte du frigo et prend trois belles grosses carottes. Du seuil de la porte, il les tend à l'orignal.

— Viens, mon gentil orignal...

L'orignal s'approche et renifle une carotte : *snif, snif, snif, snif.*

Il mange la carotte.

CROUNCH!

— J'aime cet orignal, dit Luke.

L'orignal renifle une autre carotte : *snif, snif, snif, snif.*

Il mange la carotte.

CROUNCH!

— Ce sera mon animal de compagnie, dit Luke.

L'orignal renifle la troisième carotte : *snif, snif, snif, snif.*

Il mange la carotte.

CROUNCH!

— Il pourrait vivre dans ma cabane, dit Luke.

À ce moment-là, sa maman relève la tête et dit :

— Luke, apporte-moi un balai!

— Tu veux dire le petit balai pour chasser les petits oiseaux? dit Luke.

— NON! dit sa maman.

— Tu veux dire le balai moyen pour chasser les petits lapins?

— NON! dit sa maman.

— Pas le GROS, L'ÉNORME BALAI pour chasser les gentils orignaux?

— OUI! dit sa maman.

Luke va donc chercher le GROS, L'ÉNORME BALAI pour chasser les gentils orignaux et le donne à sa maman.

D’abord, c’est la maman de Luke qui poursuit l’orignal à travers le jardin.

Puis, c’est l’orignal qui la poursuit à travers le jardin.

L’orignal mange le balai.

— Ça ne fonctionne pas, dit Luke.

— Luke, dit son papa, apporte-moi le tuyau d'arrosage.

— Tu veux dire le petit tuyau pour chasser les petits oiseaux? dit Luke.

— NON! dit son papa.

— Tu veux dire le tuyau moyen pour chasser les petits lapins?

— NON! dit son papa.

— Pas le GROS, L'ÉNORME TUYAU pour chasser les gentils orignaux?

— OUI! dit son papa.

Luke va donc chercher le GROS, L'ÉNORME TUYAU pour chasser les gentils orignaux et le donne à son papa.

D'abord, c'est le papa de Luke qui poursuit l'orignal à travers le jardin.

Puis, c'est l'orignal qui le poursuit à travers le jardin.

L'orignal attrape le tuyau et s'offre une bonne douche.

— Ça ne fonctionne pas, dit Luke.

Les sœurs de Luke sortent alors de la maison. Chacune tient un gros, un énorme pistolet à eau pour chasser les gentils orignaux.

— Ça ne fonctionnera pas, dit Luke. Les orignaux adorent l'eau.

— Oui, regarde bien! disent ses trois sœurs.

Elles s'avancent dans le jardin et crient :

— HÉ, L'ORIGNAL!

L'orignal se retourne, aperçoit les pistolets et s'écrie :

— DES CHASSEURS!

L'orignal court à la cuisine, sort des carottes du frigo, se sauve par la porte d'entrée et disparaît.

— Tu vois! disent les sœurs de Luke.

Puis, elles arrosent Luke :

POUICH! POUICH! POUICH!

et elles rentrent à la maison.

— C'est un très gentil orignal, dit Luke. Il pourrait vraiment habiter dans ma cabane.

Alors, il prend le reste des carottes dans le frigo et part à la course sur les traces de l'orignal.